“亮丽内蒙古”文化普及口袋书

绿水青山

田宏利◎编著

内蒙古人民出版社

图书在版编目（CIP）数据

爱上内蒙古．绿水青山 / 田宏利编著．— 呼和浩特：内蒙古人民出版社，2021.10

（“亮丽内蒙古”文化普及口袋书）

ISBN 978-7-204-16898-9

Ⅰ．①爱… Ⅱ．①田… Ⅲ．①内蒙古一概况②自然景观一介绍一内蒙古 Ⅳ．①K922.6 ②K928.702.6

中国版本图书馆 CIP 数据核字（2021）第 216394 号

爱上内蒙古·绿水青山

作　　者　田宏利
策划编辑　王　静
责任编辑　段瑞昕
封面设计　吉　雅
出版发行　内蒙古人民出版社
地　　址　呼和浩特市新城区中山东路 8 号波士名人国际 B 座 5 楼
网　　址　http：//www.impph.cn
印　　刷　内蒙古恩科赛美好印刷有限公司
开　　本　889mm×1194mm　1/48
印　　张　2.5
字　　数　49 千
版　　次　2021 年 10 月第 1 版
印　　次　2023 年 2 月第 1 次印刷
书　　号　ISBN 978-7-204-16898-9
定　　价　10.00 元

编 委 会

「亮丽内蒙古」文化普及口袋书

开 电子书库

阅读本丛书全部电子书，全方位了解内蒙古。

看 纪录片

从影视作品中了解内蒙古的历史文化。

赏析 蒙古族长调艺术

聆听蒙古族长调民歌，带你领略蒙古族音乐的独特魅力。

旅行交流圈

聊聊你眼中的内蒙古。

微信扫码

序

内蒙古是一个走进去就会爱上她的地方。

这里有辽阔壮美的天然草原——呼伦贝尔草原无边无际，科尔沁草原绿草如茵，鄂尔多斯草原草长莺飞，阿拉善荒漠草原苍茫神秘；有我国面积最大的原始林区——大兴安岭林海莽莽苍苍，美景如画；有生态类型多样的世界地质公园——阿尔山世界地质公园里有亚洲面积最大的火山地貌景观，克什克腾世界地质公园是我国北部环境演化的自然博物馆，阿拉善沙漠世界地质公园中的沙漠景观、戈壁景观、峡谷景观和风蚀地貌景观交相辉映。

这里也是“歌的海洋”“酒的故乡”“舞蹈的天堂”——一首首歌曲犹

如一泓清澈的甘泉，从苍茫遥远的天边流泻而来；一杯杯美酒醇香甘甜，醉人心田；一支支舞蹈激情澎湃地舞动着青春的活力，舞动着生命的力量。这里还有丰富多样、风味独特的美食佳肴，有悠久灿烂的地域文化及独具魅力的民俗风情，有蒙汉合璧、别具匠心的宏伟建筑，有革命历史文化底蕴深厚的庄严肃穆的红色旅游胜地……

这些都是内蒙古以昂然之姿向世人展示自己的美丽的底气。这套《“亮丽内蒙古”文化普及口袋书》策划的初心和使命，就是从自然景观、人文景观、民俗文化、地域文化、饮食文化及红色旅游、城区建设等多个方面展现内蒙古自治区的亮丽风采以及各族人民在中国共产党的正确领导下，始终坚定地沿着中国特色社会主义道路奋勇前进，共同团结奋斗、共同繁荣发展的崭新时代风貌。

假如这般如诗如画的美景和悠久璀璨的历史文化还不足以打动你，那么，请到内蒙古来吧，生活在这片土地上的勇敢、诚信、友善的各族人民将带你深入领略内蒙古经济发展、社会进步、文化繁荣、民族团结、边疆安宁、生态文明、人民幸福的亮丽风景线，为你提供 N 个爱上内蒙古的理由。

目 录

敕勒川上大青山

敕勒川，阴山下，天似穹庐，笼盖四野……

提到内蒙古，人们就会把它与大草原联系在一起，而每一个来到呼和浩特的人，最大的愿望就是想去尽情欣赏那大草原上浪漫旖旎的风光。

实际上，千百年前，在大青山脚下，在土默川平原上，就是一片“天苍苍，野茫茫，风吹草低见牛羊”的景象。

大青山就是敕勒川的守望者，它不

大青山脚下

但挡住了从漠北吹来的干冷风沙，让这里成了水肥草美的草原牧区，它也在历史的时空中，年复一年地陪伴着这里草木荣枯。

这一切，都离我们远去了，今天来此的游人们，已经看不到丝毫当年的痕迹。而那首古老的歌谣，也就成了这大青山脚下、土默川大地上的绝唱。

初春，驱车驶入大青山，温暖的阳光，把车窗外的山坳映照得忽明忽暗，一座座高耸入云的山峰，轻轻地抚摩着蓝天上的白色云朵，一条柏油路在山腰间缠绕着，一直蜿蜒到高高的山巅，远远地消失在天边。

公路的两旁是青绿色的山坡，忽而陡峭得让人看不到山顶，忽而平缓得斜铺在了远方，偶尔会望见一朵两朵不知名的小花，把山坡和草地点缀得特别美丽。草地不时地飞出一两只鸟儿，舒展着翅膀，毫无声息地向远方飞去。有山风从高坡或谷底吹拂而来，一股清新的草香飘进了车里。

哈达门高原牧场位于大青山北麓，处于呼和浩特市至武川县路之间，也叫作“黑大门”，不过喜爱户外运动的朋友们，更多地把它叫作“桦林沟”。

这里的树木郁郁葱葱，景观层次分明，如诗如画。登上观景台，不论是清晨还是傍晚，都可以领略料目山的雄伟与壮观，通向桦林沟底的888级台阶，全长1.2公里，犹如一条哈达，沿阶而下可饱览大青山之胜景。下阶梯向南行，是一道深邃且长达几公里的瀑布沟，沟

桦林沟

的两边林木葱郁，峰峦叠嶂。

在这里，就是最疲惫的登山者，看到这美景，都可以放松下来，感叹不虚此行。

抬头仰望湛蓝的天空，感觉离天空是那样近，洁白的云朵仿佛是谁随意挂在那里，一动不动。站在山顶扑面而来的尽是阳光、泥土与青草混合起来的甜香，闭上双眼，将那甜香轻轻地融进呼吸……那气味竟是如此芬芳，如此熟悉。那清风仿佛母亲的手，温柔地抚过你的脸颊……忽然一阵山风卷起，睁眼看时，碧草如浪翻涌，绚丽花海此起彼伏，就连袭来的冷风亦显得格外清冽，呼吸到的仿佛都是欢乐的味道……

夕阳徐徐没入西山，像是一颗灿烂的红宝石嵌在西面的天空。天空中自西向东彩霞满天，极为绚烂。

似乎从来没有注意过，夕阳西下时还有这样一幅绚丽的画面，也从来没有这么认真地看过天空。在这恬淡与安详之间，心底不由得泛起阵阵涟漪。

桦林沟秋色

记得在一篇杂文上看到这样一段话："天空即使没有人感谢，还是永远留在那里。虽然没有做着什么了不起的事，虽然我们所做的是那么微不足道，但我们仍然想看着天空。为了记住它，为了不再迷茫。"

这几句话其实并没有什么新奇之处，之所以记住，是因为它的真实。很多人，很多事，都不会因为谁而存在，就如同时间不会因为谁而停留。每一个人都在做着平凡的事，而支撑着完成这些事的精神之源，就是不想让自己迷失在自己的天空里，不想忘记自己曾经拥有的天空。

世外桃源小井沟

小井沟蒙古语称“旭尼苏贝”，位于大青山南麓呼和浩特市东北25公里处，南临110国道、呼包高速公路及京包铁路。这里有原生态的高山草甸草原、天然桦树次生林。以平顶山为中心，四周与各大景区相连，形成突出的旅游带，紧邻大窑文化遗址、红召、圣水梁等著名的青城户外徒步佳地。在沟口的水磨

小井沟

村北尚有“当路塞”遗迹。

小井沟林草丰茂,山林间有山泉水,水质甘甜清洌,众多山泉交汇,从林下山间汩汩而出,形成潺潺溪水,长流不息。在北方这样干旱少雨的地方,能有如此甘泉清溪,实属难得。

小井沟内重峦叠嶂,最高峰为平顶山,海拔1976米,登顶可鸟瞰市区全貌,山顶为千亩草原,是典型的高山草甸草原。有敖包一座,为蒙古族牧民祭祀之地。站在山顶俯视青城,更增居高临下之感。在平顶山观日出,甚为壮观。

山上有军队当年为修坑道所修筑的道路,路旁有巨岩兀然而立,壁立如削。绕过绝壁前行,树林茂密,漫漫不知边际。梭杨槭桦,杂列其中;野花野草,漫山遍野。偶有山风吹来,树木花草之香令人神清气爽。

每逢入夏,市区酷热难耐,沟中却凉爽宜人。秋来层林尽染,风景如画,植物的枝叶花果因时而变,四季景色各异。

初春，冰雪消融，溪流潺潺；
盛夏，绿草如茵，繁花似锦；
深秋，层林尽染，万山红遍；
隆冬，雪笼山壑，银蛇起舞。

小井沟的东面山上有两块巨岩酷似灵龟。据说秦始皇长子扶苏与大将蒙恬率兵三十万北逐匈奴，安定北方，并修筑长城，建置要塞。秦始皇死后，公子胡亥与奸臣赵高害怕扶苏继位，二人商定秘不发丧，派使者北上，以莫须有的罪名赐公子扶苏与蒙恬自尽。扶苏当时就自尽而亡，蒙恬怀疑其中有假，遂叹曰："恬固当死矣，起临洮属之辽东，城堑万余里，此其中能无绝地脉哉？此乃恬之罪也。"然后吞药自杀。当时修长城时，有二灵龟力大无比，为其驮石。扶苏死后，一龟先化石而死；后蒙恬死，另一龟亦与前一龟相拥而死。化石南望，令人感叹。据说，北方玄武有龟蛇之说，或许，与这石龟有些关联也未可知。

小井沟的西支老龙沟，纵深约三公里处有条石径，沿石径而上一公里左右，

小井沟秋色

四望群峰，乱石如兽，故名乱兽山。其石如狮如虎、如龟如狗，形态各异，仿佛老龙召集百兽聚会，或立或坐，或仰或卧。偶尔会有狍兔野鹿出入其间，更增添了几分神秘之感。

高山牧场红石崖

位于乌兰察布市卓资县红召乡官庄子村的红石崖，地处阴山山脉大青山中部顶峰，西南距呼和浩特50公里，南连红召九龙湾森林公园，西邻大青山革命烈士陵园，东邻红召宝华寺遗址和高峡平湖雷山水库。区域内因有一座高约30米的天然石崖，远看为红褐色而得名。

红石崖寺又名金龟寺，因其天然石

红石崖高山牧场

崖形似金龟而得名。寺院依山而立，陡峭险峻，周边群山环抱，风景秀丽。该寺据传建于清朝乾隆年间，迄今已有上百年历史，当时名为红石崖庙。传说该寺是由一位黄姓道人和当地居民筹资而建，方圆百里的求医问药者颇多，无不灵验，故当地人称黄大仙庙。这里一度香火极为旺盛，后被毁，成为一片废墟，同遭劫难的还有红召宝华寺。长期以来，尽管寺院不复存在，但虔诚的礼佛者仍络绎不绝。2001 年，一位叫王先成的当地民营企业家发起并主持红石崖寺的恢复重建工作，历经七年，于 2008 年完工，并由先前单一的道教场所演化成现今佛、道并存的清净之地。

沿寺外盘山公路向上，步行走上一两公里，就进入山顶的高山牧场了。

青山之中，唯有此处裸露着一处呈玫瑰红色的山石，堆砌成峰，远远望去是那么醒目，确实让人感觉非常奇特。这些怪石，有的像迎风披甲的战将，有的像直插云霄的宝剑，还有的像奔跑嘶鸣的战马。

峰顶的草坡上开满了碎碎的黄花，一直蔓延到远处与云天相接的山林边缘。能看到有黑色的燕子在峰间盘旋，还有数只乌鸦，叫声不断。

这里的植被覆盖良好，几乎看不到大片裸露的土层，行进途中会遇到一些纵深不过一两米的沟壑，如同绿茸茸的草毯上生出了一道道裂缝。

天然草甸牧场位于群山之间，高原

红石崖寺

夏日红召九龙湾

草甸如锦缎般铺展，数不清的野花争奇斗艳地开放着，草甸上散落地生长着一棵棵低矮的松树。草场上的牛羊在树木的掩映下若隐若现……

空山禅语苏木山

苏木山位于内蒙古自治区乌兰察布市兴和县大南山深处，苏木山属阴山之尾，平均海拔为1800米。这里以其险峻的山势、茂密的森林、五彩纷呈的花卉以及浓郁的民族风情，吸引着越来越多的旅行者，人们无不为其绝、其美所折服！

沿盘山步道向上，参天大树遮天蔽日，每有凉风吹过，路边的林海中便有

苏木山（一）

苏木山（二）

绿色的波涛激荡澎湃。还能看见路边的松枝上有雾珠凝结，晶莹剔透、颤颤欲滴。风吹来，林雾散去，如柱的阳光穿透林间。草木间有许多不知名的小花，在透过林间的阳光下盛开绽放，山中沟谷幽深静谧，偶有几声鸟鸣，显得朦胧而神秘。

步道两边有溪流顺山势向下流淌，高低错落形成一些小的瀑布，流水下坠时宛若飞珠捣玉、银沫翻涌，在一些地势平缓处受到阻隔，积成几处小小的浅水潭，这些小水潭水质清澈、触感冰凉，可以很清楚地看到水底生长着一丛丛、一簇簇墨绿色的苔藓和其他水生植物。

沿步道快走到山顶的位置，有一条专供游人观光的索道，旁边有一座瞭望台，站在瞭望台的边缘，手扶护栏，远远看去，四周群山环抱，树木非常茂密。

继续向上，登上崖顶，崖顶上平缓开阔，四处散落着许多巨大岩石，有的聚在一起，有的兀然伫立，也不知是哪

苏木山（三）

一纪地质结构发生变化之后的残留和遗迹。攀上巨岩摆个造型，留个影像，还是有些“一览众山小”的味道。

苏木山留给游人最为深刻的印象，便是深谷沟壑和草木林间的寂静。尽管来到此地的游人们没办法写出一篇能够让人身临其境的游记，来炫耀自己与这寂静空灵之地的邂逅，但是，它仍然让曾经到此的游人们,想要再次与之重逢。

蒙晋交汇老牛湾

清水河，以其境内一条横贯东西的河流而得名，它位于内蒙古自治区首府呼和浩特市的南端。在漫长的历史进程中，这个古老的蒙晋边城要塞，逐步形成了多民族文化共存共荣的历史文化。

老牛湾地处清水河县窑沟乡，位于黄河之滨，是两省区（山西省、内蒙古自治区）交界处。蜿蜒起伏的明代长城、险峻神奇的黄河大峡谷等独特的人文和自然景观在此交汇，距全国闻名的万家寨水利工程大坝仅 15 公里水路。

老牛湾

黄河与长城在老牛湾友好握手，雄伟壮观的望河楼就屹立在老牛湾的黄河河畔,历尽沧桑世变,黄河依然奔流不息，长城依然雄伟壮观。保存比较完整的古城堡和长城屹立雄踞在黄河岸边，与黄河紧紧相接。

生活在这里的人们依然保留着古风古韵的生活方式：住窑洞，牛犁耕田，打鱼放牧，过着古朴的田园牧歌生活，毫不走样地保留着古老岁月的痕迹……

老牛湾虽没有了昔日金戈铁马、塞外边关的景象，但也能感受到它古朴的魅力和历史文化的变迁。

塞外西湖哈素海

“天成美玉，人琢成器。”这是内蒙古作家峻伍在《哈素海赋》中的一句，哈素海位于呼和浩特市土默特左旗陶思浩村西，过去称陶思浩西海子，俗称后泊儿。

“哈素”为蒙古语译音，意为青水湖，由青色湖水得名。哈素海是黄河改道而遗留的牛轭湖，属大黑河水系的外

塞外西湖哈素海

流淡水湖泊。

哈素海水面面积32平方公里，素有“塞外西湖”之称。水深2米左右，水质优良，盛产草鱼、鲢鱼、鲤鱼、鲫鱼、团头鲂、武昌鱼等鱼类及河虾蟹。

置身哈素海，极目远眺，晴空碧水、蔚蓝一片、蒲萍丛丛，湖面芦苇荡内栖息着各种鸟类。鸟儿们盘旋在烟波浩渺的湖面上，此情此景宛如一幅淡雅的水墨画。

湖边绿树成荫，碧水青山相映成趣，组成了一幅十分壮观的图景，颇有塞北江南之感。

泛舟湖上，看对对鸥鸟翻飞低空，群群野鸭在苇丛出没，听远处高亢嘹亮的渔歌、近旁鱼跃出水面的声响。

鹿城之巅春坤山

春坤山生态旅游景区位于固阳县东北银号镇境内，距包头市区 110 公里，距固阳县城 56 公里，总面积达 33 平方公里，山势呈东西走向，东高西低，海拔在 1800~2340 米，主峰红芪峰海拔 2340 米。

被誉为“鹿城之巅、云中草原”的春坤山，是内蒙古自治区西部最大的高山草甸草原。“春坤”是蒙古语“深沟”的汉语直译，可以理解为深潭，“春坤山”即“有深沟的山”。

“春”意味着生生不息的生命，“坤”

春坤山

是生命赖以生存的大地。春坤山赋予了这座山更深远的文化气息；繁杂的动植物种类,赋予了这座山更多的生命气息。春坤山环境优美，动植物种类丰富，是包头市重要的旅游景区。

这里的空气清新、气候凉爽、自然风光秀丽，是天然的“绿色氧吧”和“避暑山庄”，乘坐电瓶车沿景区盘山道抵达草原深处，下车沿木栈道漫步草原，缕缕清风伴着阵阵花香。草坡上繁花似锦、争奇斗艳,各色蝴蝶在草间纷飞起舞。这里的原始桦树林郁郁葱葱，沿栈道可以抵达神奇景点石洞沟，相传此沟内有一个深不见底的石洞，洞口冷风飕飕，洞内有潺潺流水。

在这里既有辽阔的草原、延绵的群山、葱郁的森林、奇幻的云海完美融合，也有蒙古族文化与西口文化、游牧文明与农耕文明交相辉映，形成了春坤山独具魅力的自然人文景观。

辉腾锡勒黄花沟

黄花沟位于辉腾锡勒草原的西端，是一条长约 10 公里的山谷。据说，黄花沟与赤峰克什克腾国家地质公园的冰臼群，同是古冰川遗迹，是在远古时期的地壳运动中，由于地表的扭曲、断裂而形成的。

如今，这里已被开发为旅游区，游人来此可以徒步上下黄花沟。若想省去徒步的劳顿，可以先乘缆车至沟底，游玩完毕，再骑马上来。

黄花沟具有独特的地形地貌和秀美的自然风光，乘缆车下至沟底，涓涓的清泉不时地会从两岸崖壁的石缝间流出，在沟底汇聚成一条潺潺的溪流，叮咚作响。溪流两边的平地上生长着青草和黄花，崖壁石缝间生长着丛丛灌木和一两棵具有顽强生命力的树木。

时有色彩斑斓的蝴蝶从金灿灿的黄花丛中飞起，伴着溪流的朵朵水花翩翩起舞，那些蜻蜓似的小飞虫，纷纷做着蜻蜓点水状地追逐着流淌的溪流，丝毫不见疲倦。岸边的灌木丛中，偶有一两声鸟鸣传来，打破了山谷的静谧。蓝天白云倒映在水中，头顶是一线天，脚下也是一线天。奇石绿树、黄花彩蝶、溪流鸟鸣、青草白云，构成了黄花沟一幅绚丽多姿的画卷。

从沟底的缆车站顺沟间的溪流而下，两岸的谷势峰回路转。正午时分，大朵大朵的云白得像棉花糖，懒洋洋地飘在湛蓝的天空，太阳躲在云后射下道道光

黄花沟

线，穿透峡谷间清新的空气，落到沟底的青青草色间。

两岸裸露着的奇怪山石，被人们按不同的形状命名了不同的名字，有佛手山、蛤蟆峰、贤人轩、夕阳崖、木鱼石等。虽然这样的命名有点落于俗套，但当你看到这些奇石时，却也觉得惟妙惟肖。峡谷中很静，谷中的事物似乎是从千万年前那场冰川消融的惊天动地之后就被定格了，而我们这些游子们的贸然闯入，仿佛惊扰了它们长长的梦。

黄河水利三盛公

黄河三盛公国家水利风景区，位于巴彦淖尔市磴口县巴彦高勒镇东南2公里处，依托黄河三盛公水利枢纽工程而建。

拦河闸巍然屹立在波涛滚滚的黄河上，规模宏大、气势雄伟，成为八百里河套独特的人文景观。

风景区内有一座高大的同心锁雕塑，

三盛公雕塑

是利用枢纽工程除险加固时拆除的 6 扇废旧闸门，不改变原有结构而建成的大型环保雕塑。

雕塑总重达 240 吨，高 27 米，三把锁分别被命名为永昌、永固、永恒，象征着天下人永结同心、事业永昌、爱情永恒、婚姻永恒、黄河及其水利设施永固，以永恒的母亲河为见证。同心锁也象征阿拉善盟、鄂尔多斯市、巴彦淖尔市手拉手、心连心，共同治理黄河；象征磴口人民世世代代同心同德、齐心协力，把家乡建设得更加美好和富强。

黄河水坛是三盛公风景区历时三年打造的人文景观。水坛由三层平台组成，底层平台直径 339 米，总长度 9999 米的水道组成八卦水域迷宫，游客要想登上水坛顶层，必先破此迷宫。

中心平台为过渡平台，顶层平台沿外围用 12 扇高 6.6 米、宽 3 米的废闸门矗立围合，中心是高 10.9 米的不锈钢结构雕塑“黄河之水天上来”，水坛整体使用精选的红片石砌筑，其中坡面的石头是留作游客签名或抒发情感的平台。游客留下的墨宝经雕刻后将长久留存在这里。顶层上镌刻着与中华水文化有关的名言警句、诗词歌赋等。

壮观的大河风光、神奇的沙漠景观、恢宏的枢纽工程，以及良好的生态环境、鲜明的地域文化、丰富的自然景观和人文景观资源，使这里成为融观光游览、休闲度假、户外运动、生态科普于一体的大型国家级水利风景区。

乌梁素海纳林湖

乌梁素海南北长、东西窄，形如一头戏水的海豚。清道光年间黄河改道南移后，乌拉山西部留下了两处牛轭湖。清末后套几条大干渠修通后，多条渠水顺势汇入乌加河，原有的两处湖泊汇成了乌梁素海。

从高空俯瞰这片水域，郁郁葱葱的芦苇荡与蔚蓝的湖水形成了鲜明对照。乌梁素海的碧波和芦苇、蒲草参半，水道曲折通幽，湖面水鸟与游人共享湖光

乌梁素海

水色，倘若泛舟湖上，不时有蒲苇拂袖、水鸟追逐。

走上湖中专设的木制通道，直入湖中游船平台，常常有摄影师屏息静立，镜头的取景器里，这些顽皮、羞怯的珍稀鸟类，或觅食，或嬉水，偶有一池水鸟飞起，在盛夏和金秋留下最美的身影。

纳林湖位于乌兰布和沙漠东北部的巴彦淖尔农垦纳林套海农场，是一处原始形成的处女湖，距磴口县城40公里，距乌海市机场120公里，距巴彦淖尔市区95公里。

纳林湖南岸栽种着千亩胡杨树，北岸是连绵起伏的沙丘，似一颗璀璨的明珠镶嵌在乌兰布和沙漠之中。

这里烟波浩渺、鸥鸟盘旋、快艇飞驰，青山与绿水交相辉映。

湖中有大小岛屿十余处，其中最大的面积约 150 亩，有百余种候鸟在这里栖息繁衍，这里夏季空气清新、风光无限，春秋两季多种珍稀鸟类飞到此处，栖息在这波光潋滟、水天一色的湖面上，形成了大漠中的一大奇观。它和沙海驼影、大漠落日，以及生机盎然的沙生植物、灌区的田园风光，共同彰显了大西北的粗犷与恢宏。

黄河湿地乌海边

在乌海有很多的地名与水有关，海勃湾、海南、金沙湾等。实际上，人在乌海，看到的不仅是群山、沙漠，还有黄河从乌海境内流过时形成的大片湿地和小岛。因此，在乌海境内的黄河流经之地，既有北国的雄浑，又有江南的旖旎，成片的湿地犹如黄河锦带上点缀着的颗颗翡翠，光彩夺目。

黄河湿地距离乌海市区不远，面积

乌海黄河湿地

很大，当地人称其为沼泽地。黄河在此处水面宽阔、水流平稳。黄昏时逆着光远远地眺望，能看到黄河对岸的景色，隐隐约约像有一道褐色的山体绵延起伏，实际上，那是一片流动的沙山，即广袤的乌兰布和沙漠，它被黄河挡住了东去的路，被南边的贺兰山挡在了山北。

沙山的形状是不断变化着的，如果你是一名摄影师，就会惊讶地发现，今天在相机里拍下的影像，明天再去同一地点重拍，就会发生很多变化，因为沙漠的沙山是移动的。

在这片山水相依、沙草并存的大地上，汇集了众多独特的自然景观。

驱车在湿地的土路上颠簸而行，一路芳草萋萋，明水浅湾时隐时现。不时会有野鸭从水草丛中钻出来，被车子惊起，飞向湿地深处。据当地人讲，进入深秋这里的水草就变成了红色，煞是好看。湿地茂草、夕阳红滩，都是摄影家们取景器里的美景。

乌海黄河大桥

黄河从宁夏平原流来，在乌海折而向北至巴彦淖尔，由于黄河的冲击，在此前后形成了著名的河套平原，而乌海就夹在河套平原的前后套之间。

河对岸茫茫的大漠连着天际，天空中的浮云倒映在水流平缓的水面上，从云缝间透出的道道光柱，斜射在如镜的水面上，斜阳里的黄河岸边，呈现出一天之中最为绮丽的景色。

红山五峰聚赤峰

赤峰红山国家森林公园在赤峰市东郊，从公园的南门进入，透过茂密的树木向上看，在赤色的山体上竟然有一尊天然形成的弥勒佛像，那眉眼嘴鼻活灵活现,让人觉着这红山确实有灵气。传说，红山的红是因为王母娘娘打翻了胭脂盒，把这里的山染红了，听着这样的传说，看着这尊天然的佛像，再去想那源远流长的红山文化，感觉这红山的灵气仿佛是从远古而来。

红山国家森林公园远景

宽敞的山间公路一直通到山谷的深处，沿途可看见莲池廊亭，被掩映在一片片的绿荫之中，红红的山体上，长着郁郁葱葱的树木，像一只只绿色精灵，山体赤红像火焰在燃烧。

登上山顶，红山在英金河水的映照下，宛如晶莹剔透的红玛瑙。山脚下的那座草原小城和满目的秋色尽收眼底，蜿蜒曲折的英金河在阳光的照射下一直流向远方。静静地坐在这山巅亭台，朵朵轮廓清晰的云彩浮动在城市的上空。蓝的天、白的云、绿的草、红的山、黄的叶、粉的花，最惹眼的还是那红，漫山遍野的红，无处不在的红，山体燃烧着的红，置身于此，人似乎也被染得通红了。

这就是红山，而山脚下的那个城市就是赤峰。

险峻岩石阿斯哈图

“阿斯哈图”系蒙古语，意为“险峻的岩石”，属花岗岩石林，是目前世界上独有的一种奇特地貌景观。

昆明有路南石林，赤峰有阿斯哈图石林。说起石林，人们马上想到的就是前者，很少有人会知道，在赤峰市克什克腾旗的贡格尔草原边上，还有这一处阿斯哈图石林。

实际上，直到20世纪90年代之前，知道阿斯哈图石林的人还很少。克什克腾地广人稀，除了个别地质工作者对这

阿斯哈图石林

里较为了解外，恐怕只有为数不多且居住分散的当地牧民了。那时连温饱还没解决的人，哪有心情把其视为一处景观呢？那时，在他们的眼里，这里就是一堆稀奇古怪的石头。

阿斯哈图石林位于大兴安岭主峰黄岗梁以北不远处的北大山上，面积约20平方公里，集中分布在北大山上4公里宽、5公里长范围内的数个山脊之上。

和大家熟知的云南石林比起来，阿斯哈图石林处处都散发着粗犷和豪放之气。

向周遭眺望，一边是蓝天白云下苍茫辽阔的大草原，成群的牛羊如云朵般游走；一边是连绵起伏的大兴安岭，山峰直插云霄。

这里有高山、沙地、河流、湖泊、草原，克什克腾的地质地貌竟是如此神奇。

山脊上耸立着一根根、一排排黑褐色的花岗岩石林，像是古代军队中的士兵，又像是一条条巨龙的脊鳍，腾空欲飞。沟沟壑壑间铺满了墨绿色的草甸和花色繁杂的野花，山顶上生着原始次生白桦林，一簇簇、一丛丛地隐藏在山间。

大兴安岭的景色因为有了这遍布山脊的花岗岩石林，变得庄严而肃穆。从草原而来，至此仿佛是进入了远古时代。

在石林最集中的地方，人们把那里的石林都形象地进行了命名，如北京猿人、荔枝峰、将军床、群魔图、九仙女、绝望唐僧等。沿羊肠小道而上的时候，远远地就望见那“北京猿人”了，看上去真是像极了；路旁就是那荔枝峰，荔

阿斯哈图石林

枝虽好吃，在这里却没有人敢下口了；罗汉阵就在荔枝峰的对面，那一组花岗岩石林逼真地组成了一群罗汉，一个个呈凝神坐禅状，仿佛他们是在全神贯注地聆听佛经。

最让人倾心的还是那九仙女，九根参差不齐的石柱，错落有致地相依相偎在一起，酷似九个楚楚动人的仙女经受不住这人间美景的诱惑而落入凡间。在这九仙女石阵中有一块惟妙惟肖的待吻石，两双唇就那样生生地被一道石纹隔开，在那似吻未吻中，这一“待”却是上亿年的时光了。

草原明珠达里湖

在蒙古语里，“达里”是海的意思，“诺尔”是湖的意思。“达里诺尔”意为“像海一样美丽广阔的湖”，俗称“达里湖”。

达里湖是北方候鸟繁殖和迁徙的集散之地。每年深秋时节，会飞来成千上万只白天鹅。这里除白天鹅之外，还有白鹳、大鸨、白琴鹭、丹顶鹤等珍稀鸟类。

一座用木头建起来的栈桥，一直从景区的大门延伸至湖边，据说那是为观

达里湖

鸟而搭建的。

在观鸟台上虽然无法与那些成群的水鸟亲密接触，但是可以尽情地欣赏达里湖的辽阔与浩瀚。湖蓝色的宽阔水面，如同一颗巨大的翡翠，倒映着湛蓝色的天空和洁白的云朵，湖边咸蒿的暗红色连着草原上的绿色，湖的西面是我国最大的火山群遗迹。西北面便是砧子山岩画了，那是古代先民们刻在石头上的历史。这里还是契丹族发祥地，当年的边墙还在，古战场的遗迹仍存，金边堡和元朝末代皇帝行宫遗存向人们诉说着那段历史。

在今天看来，达里湖不仅仅是一处风光旖旎的旅游胜地，还是一部自然和人文的壮丽史诗。看眼前的达里湖静谧安详，却不知它是早已看惯了数代的你来我往，虽不见浪花，却也淘尽英雄。

这清澈宁静的达里湖，自有其无上的高贵和神圣。

根河水出额尔古纳

额尔古纳河在内蒙古自治区呼伦贝尔市境内，它的上源为海拉尔河，发源自大兴安岭西侧吉勒老奇山西坡，向西流到新巴尔虎左旗阿巴图附近始称额尔古纳河。

额尔古纳河源头

1689年，额尔古纳河被中俄双方共同确定为界河。额尔古纳河河水蓝而清澈，正如它名字的含义一样，“递献”了一份热情与温馨。额尔古纳河沿岸环境十分优美，有宽阔的沼泽区，让人分不出哪里是河，哪里是芦苇。这里是鸟的乐园，鸟群无拘无束地在芦苇荡里嬉戏。

根河是额尔古纳河的一个支流，与得尔布干河和哈乌尔河在额尔古纳市西北交汇形成一个洪泛平原，像一个三角洲。根河在茂密的绿植间穿过，把最美丽婉约的那段留在了额尔古纳。河谷湿地两侧的高坡上，有大片的白桦、落叶松的观赏林，城市就在旁边，人与自然完美融合在一起。

强者之河激流河

大兴安岭的山区河流众多，其中最大的一条河就是激流河。这条身处高寒之地的河流滋养了我国古代诸多北方民族。

兴安岭北段松桦蔽天、岭高坡陡。这里山峰上的积雪终年不化，基本没有绝对无霜期。每年六月雪融，十月封冻，七八月份降霜司空见惯。密林深处熊、虎、鹿、狍和其他走兽飞禽众多。冬季大雪

激流河（一）

激流河（二）

封山，气温常在零下四五十度。由于气候恶劣，环境艰苦，这里自古人烟稀少，非坚忍顽强者不敢驻足。

高寒之地的激流河，用它的乳汁哺育了一代又一代人。

激流河的上游有两个源头：金河与牛耳河。金河和牛耳河在牛耳河镇北侧交汇后，始称激流河。激流河的流向很特别，从牛耳河镇一路向北，流到满归以北后，弯弯曲曲地向着西南方向流去。流到下游的恩格仁河口附近，又拐了一个弯，向西北方向一直流入额尔古纳河。激流河全长460多公里，也是大兴安岭最长的一条原始森林河。

激流河流到满归后，河面已经很宽阔了，虽然上游流过好几个小镇，但站在激流河大桥上往下看，河水依然清澈如许。也许只有在这样人口稀少、植被覆盖良好的地方，才能有这样干净的水质。激流河流到了这里，水流并不如名字所表现得那般湍急，平静了许多。河两岸茂密的树林，更显得环境清幽。

沿着激流河大桥旁的县道往南走，就来到了激流河公园的北侧入口。虽然是公园，但并没有太多的人造景观，仅是修了一条水泥小路、几座凉亭而已。小路两边都是高高的树，在这里悠闲地散步也是不错的选择。而公园南端的一条东北至西南方向的小路，还与铁轨平行。每天的清晨和傍晚，火车都会经过这一段铁路，驶到东边的满归火车站，去往牙林线南边的那些小镇。

激流河公园最大的看点倒不是这些

凉亭和小路，而是激流河滩涂。流经小镇西侧的激流河，在这里形成大片浅滩，让人能够与河水亲近。沿着其中一座凉亭旁的小道，可以来到满是白灰色砾石的河滩上。来到河边才真切地感觉到激流河之美。河水是那么浅，仿佛才及脚踝；河水是那么清，河床上的每一块砾石都能看得清楚。岸边没有人家、没有工厂，只有茂密的森林在水中留下倒影。倏而一只水鸟从岸边俯冲入水，转瞬又飞入对面的树林中，完成了一次完美的

激流河（三）

猎捕。如果是夏天丰水期前来，激流河岸一定是天然的戏水乐园。如果有皮艇，还可以顺着河水往下漂，定会是一次难忘的森林漂流之旅。

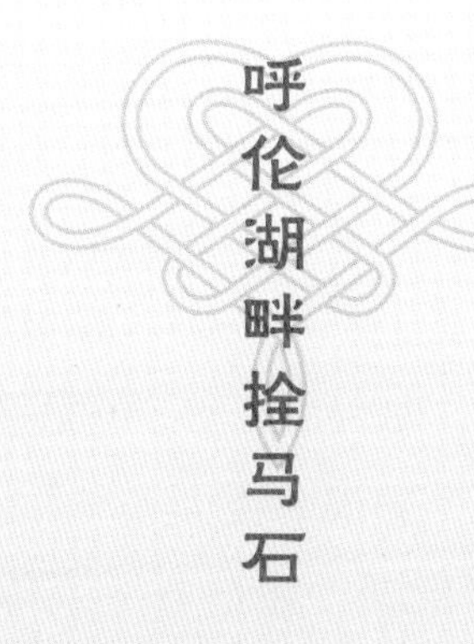

呼伦湖畔拴马石

呼伦湖，蒙古语意为“海一样的湖”，历史上曾称为大洋、俱轮泊、阔连海子等。20世纪60年代，著名作家老舍看到呼伦湖美景，赋诗赞道：“丘原青未了，又到绿波前。湖阔三江水，鱼肥百草泉。白鸥翔紫塞，碧浪映霞天……”

关于呼伦湖，在草原上流传着许多动人的传说，最动听的就是呼伦与贝尔

呼伦湖

的故事。

很久很久以前，这片丰茂的草原上有一个蒙古族部落，部落里有对情侣，姑娘叫呼伦，她聪明美丽、能歌善舞，小伙子叫贝尔，他果断坚毅、能骑善射。他俩和乡亲们一样无忧无虑地生活在祥和的草原上。

一天，妖魔莽古斯带领着狼虫虎豹杀向了草原，他倚仗头上戴着的两颗神力无比的碧水明珠肆虐着草原，河水被吸干、牧草枯黄、牲畜倒毙。接着又放出漫天的黑雾抢走了呼伦姑娘。贝尔为了草原、为了呼伦姑娘，率领乡亲们同莽古斯展开了夜以继日的殊死拼杀。

呼伦看到这番凄惨景象，便假意取悦莽古斯："你头上的明珠若给我一颗，日后便助你实现你的愿望。"莽古斯忘乎所以，连声说好，把其中的一颗递给了呼伦，呼伦知道一颗珠子就是一汪碧水，为了滋润草原，她毅然把珠子放入口中，化作茫茫碧水。莽古斯傻了眼，身上少了一颗珠子，神力已减少了一半，此时贝尔追上了莽古斯，拉开满月之弓，一箭射中了他的心窝。

贝尔缴获了另一颗明珠，带着胜利的喜悦四处寻找呼伦，这时才知道呼伦已化作滋润草原的湖水。伤心欲绝的贝尔发誓永远守护在呼伦的身边，当即吞下了另一颗珠子，顿时呼伦湖之南又现一泓碧水。当地乡亲们为了纪念他们，就把这两座湖分别取名呼伦湖和贝尔湖。这个故事流传了很久很久，有人说今天的贝尔湖水经乌尔逊河流向呼伦湖，其实这日夜流淌着的河水正是贝尔对呼伦的无尽思念。

在呼伦湖西岸，有一处被湖水三面环抱的峭壁，在峭壁东临的湖水里，有高 10 米左右，直径 20 米左右的柱石拔地而起 ，柱石下粗上细，上有道道石痕纵横交错，石缝间筑有鸟巢，不时有水鸟飞出，翱翔湖上。这一柱石就是传说中的成吉思汗拴马桩。

马是蒙古族人民的亲密伙伴和益友，

战马在草原征战中与战士的弓矢、刀枪一样重要。

成吉思汗在长年累月的战斗中，不忘挑选和调教战马。他亲手调教驯服的八匹草原骏马，不但能日行千里，而且在战斗的危急时刻多次救过成吉思汗的命。在成吉思汗大战仇敌泰赤乌部落时，两军相遇，展开了一场搏斗厮杀。泰赤乌人不顾伤亡拼命抵抗，战斗十分惨烈、十分艰难。成吉思汗组织军队多次出击，都被顽强的敌人一次一次地打了回来，战斗一直打到夜幕降临，也未能击溃泰赤乌人。这时，敌人的援兵就要赶到，形势已到危急关头，成吉思汗便决定再组织一次进攻。进攻中，他如同一头被激怒的雄狮，挥舞着锋利的战刀，骑着心爱的红鬃战马，一马当先冲入敌阵，刀劈马踏，直杀得敌人溃不成军、鬼哭狼嚎。这时，一支冷箭突然向成吉思汗射来，就在这千钧一发之际，久经沙场的红鬃马凌空而起，用躯体挡住了冷箭，顿时，鲜血从红鬃马的脖子处流出。成吉思汗见战马为救自己负伤，不禁怒从心生，大吼一声，把敌将斩落马下。

随着成吉思汗的势力越来越大，克烈部感到了威胁，便联合其他部落突袭包抄成吉思汗。成吉思汗猝不及防，率部匆忙应战，刚刚摆好御敌阵势，敌人就蜂拥杀来。两军杀声震天，硝烟滚滚，恶战半日，伤亡惨重。尽管成吉思汗的军队奋力冲杀，仍然不能取胜。眼见敌兵越来越多，成吉思汗只好下令退兵，撤到牧草丰美的呼伦湖附近，成吉思汗安下大营，一面召集旧部和扩充军队，一面抓紧训练士兵、调教战马。成吉思汗每天都用清澈的湖水为自己心爱的八匹骏马洗涮。当他站在山头上眺望北方草原，谋划着统一草原时，八匹骏马都扬鬃奋蹄、嘶鸣不止，渴望着随同主人征战沙场。天长日久，巨大的拴马石被马缰勒出一道又一道纵横交错的纹路。后来，成吉思汗率部南征北战，东拼西杀，终于完成了统一草原的宏伟大业。呼伦湖畔的柱石，也因成吉思汗在此拴过战马，而留下一段传奇故事，在草原上世代传诵。

第一曲 水莫尔格勒

在呼伦贝尔的陈巴尔虎草原深处有一条有“天下第一曲水”之称的莫尔格勒河，这里也是呼伦贝尔最为著名的天然牧场，每到水草丰美的季节，这里就会聚集很多游牧的牧民。

茫茫大草原上茵茵的牧草，弯弯曲曲的河水，成群的牛羊，散落的蒙古包……构成了一幅完美的草原风情画。

1202 年，铁木真向王汗和扎木合等蒙古贵族发起了一场讨伐战役。这场战役发生在今陈巴尔虎旗莫尔格勒河谷中

莫尔格勒河

的会屯山一带，所以史书中也称“会屯战役”。铁木真率部从今兴安岭西麓突然袭击了敌人，当打乱了敌人的阵势后，铁木真部撤回会屯山上，敌人以为铁木真战败而后撤，便紧跟着追杀过去，这时铁木真部从山上射出无数支箭，然后像猛虎般冲杀下山来，敌人败下阵来四处逃窜。通过“会屯战役”的胜利，铁木真进一步巩固了自己的汗位，征服了蒙古高原的东部地区。

每逢夏季，陈巴尔虎旗走“敖特尔”的蒙古族和鄂温克族的牧民便在这山清水秀、水草丰美的地方游牧。蓝天白云、茵茵绿草、群群牛羊、点点毡房、袅袅炊烟，使这里成为少有的绿色净土。

原始森林兴安岭

从海拉尔去大兴安岭深处的阿尔山，途中路过鄂温克旗伊敏苏木。伊敏苏木因伊敏河而得名。伊敏河上游在红花尔基以南，为大兴安岭山地林区，那里是被称为“绿色皇后”的樟子松的故乡，大兴安岭森林风光从那里开始渐入佳境。

红花尔基以北就是鄂温克大草原。车过伊敏便开始进入林区了，辽阔的鄂温克草原退去，苍苍茫茫的大森林逐渐

兴安岭日出

围拢而来。

驱车行进在密林深处，两边的松林遮天蔽日。能看到有被专门开辟的林区防火隔离带，数十米宽的隔离带垂直于马路，一直朝两头伸展而去，青草间盛开着各色的山花，在这大森林的深处，在这无人知晓的地方，自顾自地绽放着。

走进大兴安岭林区，车子悄无声息地穿行在林区窄窄的马路上，每有长风吹过，路边的林海中便有绿浪激荡澎湃，偶遇有林雾的地方，刚才还看见薄如蝉翼的一层薄雾，随即便集聚、弥漫，遮住了密实的林木。能看见路边的松枝上有雾珠凝结，晶莹剔透，颤颤欲滴。风吹来，林雾散去，如柱的阳光穿透林间。有时停下车来走进路边的树林，不敢走得太远，生怕找不到回去的路。想象着当年生活在这大山林中的人们，他们独自一人走进这大森林，或踏访新知旧友，或寻觅仇家踪影，他们是怎么去克服在森林里迷路的心理恐惧的呢？

进入兴安盟境内到达伊尔斯，沿途

一直穿行在大兴安岭的森林中。伊尔斯是经过伊敏之后见到的第一个林区小镇。正午时分，阳光照射着整个小镇，小镇静得出奇。回首来时的方向，青山妩媚、天空凝碧、浮云游弋，胸臆无限舒展。就感觉在这万籁俱寂之中，藏匿着许多鲜为人知的故事，直让人一遍遍怀想。

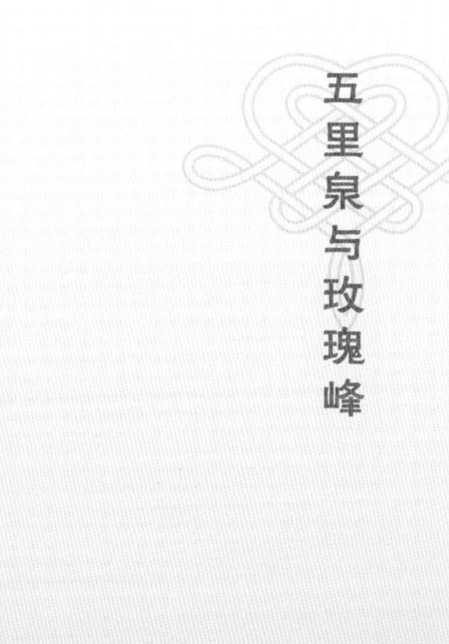

五里泉与玫瑰峰

五里泉因距离阿尔山市5华里而得名，这是一处露天的矿泉。它位于玫瑰峰的公路边，一面靠山，是雄伟的大兴安岭主脉，其他三面是一片长满青草的湿地，清澈甘冽的泉水就在路边那半米见方的小池子里，日夜不停地向外流淌着。据说这泉水中富含20多种人体所必需的微量元素，比如今商家摆上柜台出售的瓶装矿泉水水质都好。

玫瑰峰

凡是开车来阿尔山的人，车子上都会备上几个大的塑料桶，到这里灌满泉水带回去饮用。传说五里泉是月亮沐浴的地方，沐浴了五里泉水，月光才清凉如水，而人若用五里泉水洗脸，肌肤会变得细腻。

每天清晨，会有很多人汇聚到五里泉泉边，把一桶桶清澈甘洌的泉水挑回家，挑着一山的鸟鸣，挑着满身的花香，挑着一天的清爽。好羡慕生活在这大山深处的人们，他们远离尘嚣，他们生活得简单而快乐。

沿五里泉旁的公路前行 20 余公里，就到玫瑰峰了。玫瑰峰就位于公路边，而这条路据说就是成吉思汗当年阙亦坛之战的军事通道。成吉思汗当年为统一蒙古草原与敌军在此激战，成吉思汗的鲜血染红了山石，血滴落在地上化作鲜红的野玫瑰，所以后人就把这座山峰称作红石砬子，又叫作玫瑰峰。

一片青山之中，唯有此处裸露着一处呈玫瑰红色的山石，远远地望着，是那么醒目，确实让人感觉非常奇特。在山上的怪石之中，有的像迎风披甲的战将，有的像直插云霄的宝剑，还有的像奔跑嘶鸣的战马，个个栩栩如生。沿着用火山石铺就的登山石阶登至峰顶，峰顶的草坡上开满了碎碎的黄花，峰北就是阙亦坛草原，山峰间时有燕子盘旋，还有乌鸦声不断。峰下林中的木屋，隐在一片盛夏的葱茏绿意之中，哈拉哈河就从前面缓缓流过。

最美阿尔山天池

金秋时节的阿尔山是一年四季中最美的季节。樟子松的绿、针叶松的橙、山杵树的红、稠李子的紫、白桦林的黄，色彩纷呈。人行其间，仿佛置身于五颜六色的海底，连思绪都是五彩的。

阿尔山天池海拔1300米以上，位于天池岭峰顶，是一个高位火山口湖泊。上山的路旁丛林密布，阳光透进林间，各色的秋叶落满一地，在阳光的照射下，

阿尔山天池

斑斑驳驳，使人分不清哪是落叶、哪是光斑。走在新修筑在林间的青石台阶上，丛林中幽静无比，会不时地听到各种山鸟的鸣啭，透过头顶山林密实的缝隙，还能看到翱翔在天空的苍鹰的影子。一鼓作气登上山顶，头顶是蓝色的天空和白色的云朵，湖畔有樟松白桦，池边水草茂盛，一池碧水就在这些缤纷的色彩的簇拥下显于眼前。来到这里才知道，天空原来可以这么低，低得仿佛可以让你踩在脚下；白云可以白得如此纯净，

仿佛经过了精心的洗涤；各种色彩可以浸在水中而不会相互串染、永不褪色、永远鲜活。

来到阿尔山天池，才知道什么叫风景如画，直让你忘却了身在何处。

阿尔山天池是很特别的，天山天池有入口而无出口，长白山天池有出口而无入口，而阿尔山天池却出入口全无，但它却久旱不涸、久涝不溢，一年四季水位不升不降。在这里能让人感受到什么叫蓝天、白云、绿树、碧水、青草，浑然一体；赤、橙、黄、绿、紫，色彩纷呈。青山绿水无一不是精致耐看的风景。

天池之东石塘林

石塘林位于阿尔山天池之东，距天池大约二十公里。阿尔山最美的时节是在秋天，无论远山近丘，所看到的每一棵花草树木都是极美的。驱车在林间穿行，你会看到路两边的林木越来越茂密，只能看到头顶上的一线天。前行不远处，眼前就会出现一片空地，密实的林木被一处堆积成山的黑色岩石所替代，黑乎乎的石头似乎是有人有意堆积于此，周遭尽是阿尔山的秋

阿尔山景区石塘林

色，唯此一处黑乎乎的一片，那颜色与周遭绚烂的秋色是那样不协调，看上去让人感觉有些不舒服。当地人说，这样的堆积完全来自天然，它被人叫了一个很奇怪的名字——“石塘林”。

风景如画的阿尔山，在亿万年前曾是火山活动频繁而强烈的地带。阿尔山遍布着远古时期由于多次火山喷发所形成的地质遗迹，其中最为壮观的就是眼前这大黑沟一带的石塘地貌。当年这里火山熔岩奔涌喷发，在此遇到哈拉哈河水相阻而冷却，但后面的熔岩流却继续向前流动，把冷却后的处于半固态或固态的岩石推碎，变成岩块向前运动，并不断受阻。力与火、火与水相互较力，在此集中形成了多种多样的熔岩形态。

在石塘林风景区,有人工的木栈道，十分方便游客观赏石塘林的景色。在这寸土不积、滴水难存的石塘内，最引人注目的就是生长在这些黑色熔岩上的偃松了,它们生长在岩石之上,高不过半米,却有着与周围密林中高大挺拔的落叶松同样的树龄。大自然就是如此神秘，生怕这黑石在此难熬寂寞的岁月，偃松生来就像是伴其共度流年的。它为了适应在熔岩上的生长，放弃了伟岸高直而自愿选择了匍匐的生存状态，千万年不变，生死轮回之中，保持着自己最原始的风貌。据说，这种树只有在这种地貌上才能成活，这不能不说是一种生命的奇迹。

在石塘林的岩石之间，有一条涓涓的石溪，至开阔处积为一些不大不小的水潭，远看像黑稠得如同熔化了的沥青，

石塘林木栈道

走近了仔细看，实际上却是澄澈得如无一丝杂质的清泉，原来是潭底的黑色熔岩将泉水衬成了黑色。大兴安岭密林深处的石塘林、黑色的熔岩、葱翠的偃松点缀着阿尔山绚丽的秋色，冲击着人们的视觉。

后记

在中国版图上，内蒙古自治区如厚实的脊梁挺立在北方。这里有壮丽神奇的自然风景、独具魅力的人文景观、特色浓郁的民俗风情、丰富多元的旅游文化；这里的人民团结一心，在中国共产党的正确领导下，沿着中国特色社会主义道路不断前进，经济社会发展实现历史性跨越。

内蒙古人民出版社组织策划的这套全方位展示内蒙古风采的《“亮丽内蒙古”文化普及口袋书》，在内蒙古自治区党委宣传部和内蒙古出版集团的精心指导和大力支持下，成功立项并入选“亮丽内蒙古”重点图书出版工程。能够参与丛书的编写，我深感荣幸，感谢内蒙古人民出版社给我提供了这样的机会。

由于时间仓促,加之笔者水平有限，书稿不尽完美，在编校出版过程中，内蒙古人民出版社民族历史文化读物出版中心的编辑老师付出很多心血，她们认真负责、精益求精，使丛书在短时间内保质保量出版，在此，对各位编辑老师表示深深的谢意。

希望这套口袋书可以向读者展示一个真实生动、色彩斑斓的内蒙古，让更多的人了解内蒙古、认识内蒙古、爱上内蒙古。

编者

2021 年 9 月于呼和浩特市